ALEKSANDER PUSZKIN

BAJKA
O
RYBAKU I RYBCE

Przełożył
Julian Tuwim

Ilustracje
Andrzej Fonfara

Wydawnictwo
SARA

Opracowanie graficzne
skład tekstu
Studio Wydawnictwa SARA

ISBN 83-7297-280-X

Wydanie I
2002

Druk i oprawa:
Białostockie Zakłady Graficzne SA

Mieszkał stary rybak ze swą starą
Nad samym brzegiem morza.
W starej, nędznej lepiance mieszkali
Równo lat trzydzieści i trzy lata.
Stary łowił siecią ryby w morzu,
A starucha przędła swoją przędzę.
Kiedyś rybak sieć zarzucił w morze,
Powróciła sieć z iłem i szlamem.
Po raz drugi sieć zarzucił w morze,
Powróciła z samą morską trawą.
Po raz trzeci sieć zarzucił w morze,
Sieć wróciła z jedną tylko rybką,
Ale z jaką rybką! Ze złotą!
Jak zaczęła błagać złota rybka,
Jak zaczęła mówić ludzkim głosem:
„Puść mnie, proszę, staruszku, do morza,
Cenny wykup ode mnie dostaniesz,
Każdą prośbę twą spełnię w nagrodę".
Zląkł się stary, bardzo się zadziwił:
Lat trzydzieści i jeszcze trzy lata
Łowił ryby, a dotąd nie słyszał,
Żeby ryba mówiła jak człowiek.
Puścił złotą rybkę do morza
I powiedział jej łaskawe słowa:
„Pan Bóg z tobą, mała złota rybko,
Wracaj sobie na morskie głębiny,
W chłodnych falach zażywaj swobody,
A wykupu twego mi nie trzeba".

Wrócił stary do swojej staruchy,
Opowiedział jej o wielkim cudzie:
„Rybkę dzisiaj złowiłem – powiada –

Ale jaką! Nie zwyczajną – złotą!
Po naszemu rybka przemówiła,
Poprosiła: »Puść mnie do domu«.
Drogą ceną chciała się wykupić.
Nie ważyłem się wziąć nagrody
I puściłem rybkę do morza".
Jak nie zacznie starucha wymyślać!
„Durniu – mówi – głupi niezdaro!
Nie umiałeś poprosić o wykup!
O koryto byś chociaż poprosił!
Nasze stare całkiem się rozpadło".

Poszedł rybak nad błękitne morze;
Widzi – morze kołysze się z lekka.
Zaczął złotą rybkę przywoływać.
Wypłynęła rybka, zapytała:
„Czego tobie, staruszku, potrzeba?"
Rybak skłonił się nisko i mówi:
„Zmiłuj ty się, jaśnie pani rybko,
Wykrzyczała mnie moja starucha,
Ani chwili spokoju nie daje,
Mówi: »Muszę mieć nowe koryto,
Bo się nasze całkiem rozleciało«".
Na to złota rybka odpowiada:
„Dobrze, nie martw się, idź sobie z Bogiem,
Dostaniecie nowe koryto".
Wrócił stary do swojej staruchy,
Już starucha ma nowe koryto,
Jeszcze gorzej na męża pomstuje:
„Durniu – krzyczy – głupi niezdaro!
Wyprosiłeś, durniu, koryto!

Dużo–ć dla nas z koryta korzyści!
Zaraz wracaj, niezdaro, do rybki.
Skłoń się nisko i o chatę poproś!"

oszedł stary nad błękitne morze
(Zamąciło się błękitne morze),
Zaczął złotą rybkę przywoływać.
Wypłynęła rybka, zapytała:
„Czego tobie, staruszku, potrzeba?"
Stary skłonił się nisko i mówi:
„Zmiłuj ty się, jaśnie pani rybko!
Jeszcze gorzej starucha pomstuje,
Ani chwili spokoju nie daje,
Chaty żąda baba swarliwa".
Na to złota rybka odpowiada:
„Dobrze, nie martw się, idź sobie z Bogiem,
Spełnię prośbę, dostaniecie chatę".
Wrócił stary do swojej lepianki,
A z lepianki dawnej ani śladu.
Stoi przed nim chata z jasną izbą,
Z murowanym bielonym kominem,
Z dębowymi ciosanymi wroty.
Siedzi sobie starucha przy oknie,
Klnie starego na czym świat stoi:
„Durniu – krzyczy – głupi niezdaro!
Wyprosiłeś chatę, ty durniu!
Zaraz wracaj, skłoń się rybce nisko,
Nie chcę dłużej być prostą włościanką,
Chcę być odtąd rodową szlachcianką!"

oszedł stary nad błękitne morze
(Szumi, burzy się błękitne morze),
Zaczął złotą rybkę przywoływać.
Wypłynęła rybka, zapytała:
„Czego tobie, staruszku, potrzeba?"
Stary skłonił się nisko i mówi:

„Zmiłuj ty się, jaśnie pani rybko!
Babie do cna we łbie się przewraca,
Ani chwili spokoju nie daje,
Nie chce dłużej być chłopką–włościanką,
Chce być odtąd rodową szlachcianką".
Na to złota rybka odpowiada:
„Dobrze, nie martw się, idź sobie z Bogiem!"

Wrócił stary do swojej staruchy
I cóż widzi? Pyszny dwór wysoki,
Stara baba na ganku stoi
W sobolowym, kosztownym kubraku,
W czepcu złotem i srebrem dzierganym,
Naszyjniki z wielkich pereł dźwiga,
Nosi złote pierścienie na palcach,
A na nogach czerwone buciki;
Dookoła służba się uwija,
Baba ludzi za czupryny ciągnie.
Mówi stary do swojej staruchy:
„Witaj, jaśnie wielmożna szlachcianko!
Już ci teraz chyba dogodziłem!"
Jak nie wrzaśnie starucha na męża:
„Marsz do stajni służyć za koniucha!"

Mija tydzień, drugi tydzień mija,
Jeszcze więcej zdurniała babina,
Znów posyła staruszka do rybki:
„Wracaj – krzyczy – pokłoń jej się nisko.
Nie chcę już być szlachcianką rodową,
A chcę zostać swobodną królową!"

Zlękł się stary, zaczął prosić, błagać:
„Czy się, babo, szaleju objadłaś?
Ani mówisz, ani chodzisz jak trzeba,
Całe swoje królestwo rozśmieszysz".
Jeszcze gorzej się baba zgniewała,
Uderzyła starego po twarzy:
„Jak ty, chamie, śmiesz mi się sprzeciwiać,
Ze mną spierać, z rodową szlachcianką?
Zaraz idź do rybki, pókim dobra,
A nie pójdziesz – siłą cię przymuszę".

Poszedł biedny staruszek nad morze
(Poczerniało błękitne morze),
Zaczął złotą rybkę przywoływać.
Wypłynęła rybka, zapytała:
„Czego tobie, staruszku, potrzeba?"
Rybak skłonił się nisko i mówi:
„Zmiłuj ty się, jaśnie pani rybko!
Znowu wściekła się moja starucha,
Nie chce być już szlachcianką rodową,
Chce być odtąd swobodną królową".
Na to złota rybka odpowiada:
„Dobrze, nie martw się, idź sobie z Bogiem!
Chce królową być, będzie królową".

Wrócił stary do swojej staruchy
I co widzi? Królewskie komnaty,
A przy stole w królewskiej komnacie
Siedzi baba-królowa ucztując.
Usługuje jej szlachta, dworzanie,
Nalewają jej zamorskie wina,

Piernikami miodowymi karmią,
Naokoło groźne straże stoją,
Na ramieniu trzymają toporki.
Zląkł się stary, kiedy to zobaczył,
Babie swojej do nóg się rzucił:
„Witaj – mówi – potężna królowo!
Wszystko masz, czego dusza zapragnie!"

Baba nawet spojrzeć nie raczyła,
Starowinę kazała wypędzić.
Przylecieli dworzanie i szlachta,
Kułakami starego pobili.
Groźne straże przy drzwiach doskoczyły,
Toporami go chciały zarąbać,
A lud śmiał się, urągał staremu:
„Dobrze ci tak, będziesz miał nauczkę,
Za wysokie progi na twe nogi!"

Mija tydzień, drugi tydzień mija,
Jeszcze więcej zdurniała babina,
Szambelanów po męża posyła,
Odszukali go, przyprowadzili,
A ta baba tak do niego mówi:
„Nie chcę być już potężną królową,
Lecz wszechwładną w morzu cesarzową.
Chcę w głębokim mieszkać oceanie,
Żeby złota rybka mi służyła,
Żeby u mnie na posyłki była".

Nie śmiał stary sprzeciwić się babie,
Ani słowa nie ważył się odrzec,
Znowu idzie nad błękitne morze –
Czarna burza szaleje na morzu,
Gniewne fale wzdęły się, spęczniały,
Wyją, huczą spienione bałwany.
Zaczął stary wzywać złotą rybkę.
Wypłynęła rybka, zapytała:
„Czego tobie, staruszku, potrzeba?"
Rybak skłonił się nisko i mówi:
„Zmiłuj ty się, jaśnie pani rybko!
Co mam robić z przeklętym babsztylem?
Nie chce być już potężną królową,
Lecz wszechwładną w morzu cesarzową,
Chce w głębokim mieszkać oceanie,
Żebyś ty jej, złota rybko, służyła,
Żebyś u niej na posyłki była".
Rybka na to nic nie powiedziała,
Tylko w wodzie plusnęła ogonkiem
I ukryła się w głębokim morzu.

Długo czekał staruszek nad morzem,
Nie doczekał się, wrócił do żony,
Patrzy – znowu ta sama lepianka,
Stara baba siedzi na progu,
A przed babą rozbite koryto.